米小圈上学记

小顽皮和老顽童

三年级

北猫 著

四川少年儿童出版社

目 录

米小圈对你说

各位陪伴着我一起长大的小朋友，大家好。

告诉大家一个好消息，我米小圈已经上三年级了。顺便再告诉大家一个坏消息，我的个头儿却还是二年级的，呜呜。不知道为什么，我最近好像都没怎么长个儿。可是姜小牙和铁头他们却越长越高。

我怀疑我一辈子都不会再长高了。这件事让我足足苦恼了一个小时。

一个小时后，我又开心起来了。因为我觉得，就算我流了一夜的泪，第二天早上起来也不会因此而长高的，所以我为什么不开开心心的呢？况且这个世界上还有那么多好玩好吃的东西，电脑游戏、漫画书、冰激凌，还有足球。

我觉得吧，如果遇到坏事，你只苦恼一个小时，那么你还有一天的时间是快乐的。相反，你苦恼一整天，那么快乐的时间可能连一个小时都没有了。

我的好朋友们，你们觉得我说得有道理吗？

嘻嘻，其实根本没什么道理。

上了小学三年级，我才发现有一件事真的是可以苦恼一整天的。那就是写作文。

为了写好作文，被莫老师表扬一下，我找到了一位巨帅巨有才华的作家——北猫叔叔，向他请教。

（北猫叔叔：夸得我好舒服。米小圈，算我没看错人，选你当男 1 号是无比正确的。）

北猫叔叔告诉我，坚持写日记，把你观察到的、感受到的都积累在日记里，用不了多久，就可以写出精彩的作文啦。

原来写作文这么简单呀！本来我就喜欢写日记，如果能因此而写好作文，那我就真的可以开心一整天了。

好啦，我的朋友们，我米小圈写日记的时间又到了，不能再陪大家聊天了。

对了，你今天的日记写了吗？如果没写，快快和我一起动笔吧。886……

米小圈

洗脚这件大事

11月9日　星期二

最近这几天，学校在开展"了解父母，理解父母"的活动。每个班级采取一种方式，**体会**父母的辛苦。

三年级二班的同学要替妈妈上街买菜，三班的同学要在家打扫卫生。我们隔壁的四班最猛，康老师居然要求同学们在家里扮演孕妇。哈哈哈哈……逗死我了。

每个同学回到家，都要把一个枕头塞进衣服里，体验父母怀胎十月的辛苦。

（老妈评语：米小圈，你记住，怀胎十月的是你妈妈，你爸爸什么都没做。）

铁头听说四班的同学要扮演孕妇，**兴奋**极了。他也想当一次孕妇，他觉得这一定很好玩。

当孕妇？铁头，你不会是认真的吧。

魏老师否决了铁头的**提议**，我们班不可以模仿四班，我们要创新才行。

我觉得魏老师说得很有道理。

可是我们该如何体验父母的辛苦呢？这是一个伤脑筋的问题。

这时，姜小牙举手说："老师，我看见电视广告里，有一个小孩儿给妈妈洗脚。不如我们就洗脚吧。"

　　什么？洗脚？给老妈洗脚我倒是不反对，可千万不能给我老爸洗脚呀，他的脚太有**杀伤力**了。不好不好，这个提议绝对不行。

　　想不到魏老师居然同意了姜小牙的提议，而且还要求家长在作业本上写两句洗脚的感想。魏老师，可真有你的。

　　放学后，同学们都回家给父母洗脚去了。

　　我很不情愿地回到家，推开门，发现家里并没有人。

　　这时，老爸系着**围裙**，端着两碟菜从厨房走出来。

　　"米小圈，开饭啦！"

　　哇！是我最爱吃的红烧带鱼和油焖大虾。

　　"老爸，今天是太阳从西边出来了吗？老妈呢？"

　　"你老妈在医院**值班**呢，今晚不回来了。"

"什么？不回来了？这怎么行呀！"我听到这个消息，大叫起来。

"有什么不行的，不还有你老爸我在家吗？"

唉……我觉得老爸不在家还好一点儿，我就不用给他洗脚了。

"米小圈，快去洗手，吃饭啦。"

洗完手，我和老爸吃起饭来。

老爸把一只大虾夹到我的碗里，说："米小圈，快来尝尝老爸的手艺。"

那是我做的菜。

尝尝我做的菜。

你说谎。

"老爸，你就别吹牛了，你除了会做方便面，其他什么都不会做。说吧，在哪家餐馆点的菜？"

老爸一下不好意思起来："呵呵，你小子还挺**聪明**。"

我边吃大虾边问道："对了！老爸，你今天下班回来洗脚了吗？"

"没有啊，怎么了？"

"老妈不是要求你每天回到家第一件事就是洗脚吗？"

可老爸却说："米小圈，你傻呀，你老妈今天都不在家，我还洗什么脚啊。"

呜呜呜……完了。

吃完饭，我把魏老师要求我们给父母洗脚的事说给老爸听。

老爸高兴得差点儿背过气去。

"你们老师真是太**贴心**了。米小圈，还等什么呢？我们开始吧。"老爸把袜子甩到一边，伸出脚来。巨大的臭味一下子**散发**出来。

呜呜呜……救命啊。

"老爸，你看咱俩商量一下行不行，我就不帮你洗脚了，你在我的作业本上随便写两句，就假装我帮你洗过了。行不行？"

"绝对不行！我怎么能帮着你撒谎呢。快开始吧。"

呜呜呜……老爸**无情**地拒绝了我。

没有办法，我只好戴上口罩给老爸洗起脚来。

我发现，口罩一点儿都不管用。要是我家有防毒面具就好了。

　　我给老爸的"毒气脚"打上香皂，洗了起来。洗刷刷，洗刷刷，终于洗完了。

　　老爸又说："米小圈，你怎么忘了，做事要有始有终，洗完脚，要把我的脚擦干，然后把洗脚水倒到马桶里才行。"

　　老爸，你事儿怎么这么多呀。

　　我把洗脚水倒掉之后，终于算是**大功告成**了。我又把作业本递给老爸。

　　老爸拿着我的作业本，在客厅里走了七步，然后在上面写了一首诗：

　　父母育儿不易，洗脚把爱传递。

　　老师教育得体，最好每天一洗。

　　我觉得这首诗的名字应该叫《想得美》，哼！

徐豆豆的礼物

11月11日 星期四

　　今天早上，我做了一个噩梦，很噩很噩的梦。我梦见，有一只**可怕**的魔爪伸进我的被窝里，在挠我的痒痒。

　　直到我笑醒了才发现，原来是大牛在挠我。

　　"嘻嘻，小圈哥，快起床，快起床啦。"

　　我一看表，还不到八点呢，比平常早了整整二十分钟。

　　"大牛，你疯了吧，这么早干吗叫我起来。"

　　"小圈哥，告诉你一件大喜事，我爷爷给我买了一辆**敞篷跑车**。"

　　"敞篷跑车？开什么玩笑。"

向学校前进！

"从今天开始，我们就可以开着跑车去上学了。"

吃完早餐，我和大牛来到楼下。

大牛指着前方，说："小圈哥，你看！那就是我的敞篷跑车。"

我一看，哇！果然是一辆……**儿童自行车**。

大牛说："你看它是不是敞篷的？"

"这倒是。"

"你看它是不是车？"

"好吧，自行车也是车。可这个'跑'呢？"

大牛骑上自行车，飞快地蹬了起来。呜呜呜……我在后面拼命地跑。

"小圈哥，我在前面开车，你在后面跑，这不就是跑车了吗？"

大牛，算你狠！

骑完车，我们今天很早就到达了学校。

想不到我的同桌徐豆豆今天比我来得还早，而且她穿了一条漂亮的裙子。

"哇！同桌，你的裙子好漂亮。"我赶紧恭维道。

徐豆豆得意地说："那当然，这可是我奶奶送我的生日礼物。"

"生日礼物？这么说，你今天过生日。"

"是呀，米小圈，谢谢你送我的生日礼物，我很喜欢。"

徐豆豆她是在做梦吗？我什么时候送给她生日礼物了？

徐豆豆坏笑着说："嘻嘻，你看看，你的书桌里面少了什么？"

我翻了翻书桌，发现我的**魔方**不见了。

徐豆豆又说："我猜，身为同桌的你一定会送我一份生日礼物的。所以今天早上，在你没来之前我就把魔方拿走了。"

啊？徐豆豆，这不是送礼物，你这是偷礼物呀。

魔方真好玩。

把魔方还给我。

除了漂亮的裙子，我发现徐豆豆的书包和文具盒也是全新的。

徐豆豆说这是爷爷送给她的。

徐豆豆拿出了一把塑料玩具锤子："米小圈，你看！这是我姥姥送我的，你以后要是不听我的话，我就拿它捶你的脑袋。"

徐豆豆，你可真够坏的。

唉，徐豆豆真幸福，有这么多人疼她，可以收到这么多的礼物。可是我呢？我的爷爷奶奶都去世了。我只有一个姥姥。呜呜呜……

晚上，我把今天的事讲给老爸听。老爸却不同意我的说法："米小圈，你还有一个爷爷呢。"

"我有爷爷？不对吧，你不是说他们早已不在了吗？"

"这个爷爷是我爸爸的弟弟，也就是你的二爷爷。"

"这么说，我也有爷爷了？太棒啦！可是二爷爷他为

什么不来看我呢？"

"因为二爷爷住在很远很远的地方，来一次很不方便。不过前段时间他给我写信说，他今年可能会来。"

"怎么才是可能啊，一定要来，一定要来。"

"米小圈，想不到你这么重情重义。"

"那当然，二爷爷来了，我就可以收到他送我的礼物了。呵呵呵呵……"

我要玩电脑

11 月 13 日 星期六

今天，老爸告诉我一个特大好消息——我亲爱的二爷爷就要来我们家了。

二爷爷此刻已经坐上火车了，明年的这个时候就能到啦。

（老爸评语：米小圈，明年才能到？这火车得多慢呀，是蜗牛号吗？改为"明天"的这个时候……）

太棒了，也不知道二爷爷会给我带什么见面礼！

星期六是一个幸福的日子，最幸福的事就是躲在家里打电脑游戏。可是老妈并不喜欢我打游戏，于是我趁

老妈做饭的时候，把电脑打开，偷偷玩起了游戏。我觉得这个世界上没有什么比电脑游戏更好玩的了。

如果学校的课能像电脑游戏一样好玩，我保准能考全班第一名，不！是全校第一。

可是没玩多一会儿，我的电脑屏幕突然就黑了。不好！停电了。我转头一看，原来是老妈把电源给拔掉了。呜呜……

老妈批评道："米小圈，跟你说过多少次了，不要把时间都浪费在玩电脑游戏上。"

我要玩游戏。

"可是不玩游戏我没什么可做的呀。"

老妈问："你作业写完了吗？"

我迅速打开书包，拿出作业本给老妈看。

老妈说："还真写完了。"又问："美术班的画，你画了吗？"

我一下子拿出两张漂亮的画。

老妈没有想到，我为了能多玩一会儿游戏，做了这么多的**努力**。

"老妈，该写的我都写了，该画的我也都画了，就让我玩一会儿游戏吧。求你了。"

老妈再一次拒绝了我的请求："那也不行。有这时间，你还可以看看书，练练字，再或者出去踢踢足球。"

踢足球？我觉得这个**主意**不错。我抱起足球，向姜小牙家走去。嘘！其实我只是找个借口去姜小牙家打电脑游戏。

米小圈，你的球踢得真臭。

　　我在半路上正巧碰见了姜小牙。原来他爸爸也不让他玩电脑游戏，而且已经把家里的电脑设了密码。他借口说要向我请教问题，就跑来找我了。

　　怎么办呀？我们突然想到了铁头，我们去他家玩电脑游戏。

　　我们到了铁头家。铁头妈很**热情**地招待了我们。铁头妈还说，在他们家里铁头想玩什么就玩什么，她从来不管。铁头妈就是好。

　　铁头悄悄对我们说："好什么呀！那是因为我家里根本没有电脑。"

"啊？铁头，你家原来不是有台电脑吗？"

提起这件事儿，铁头的眼圈湿润了："呜呜，电脑让我爸爸给卖了。"

结果，我们在铁头家下了象棋、五子棋、跳棋和飞行棋。呜呜，一点儿都不好玩，我要玩电脑。

二爷爷来啦

11 月 14 日 星期日

　　今天我很早就起床了，因为我的二爷爷马上就要来了。老爸已经去火车站接他了。

　　我**特意**穿上最漂亮的衣服，等待二爷爷的到来。可老爸去了这么久，怎么还没把二爷爷接回来呢?

　　这时，家里的门铃响了起来，我以最快的速度向门口冲去。

　　我打开门，喊道:"二爷爷，二爷爷……"

　　二爷爷手里拿着一个大盒子，我猜这一定是送我的礼物。我抢过礼物，奇怪? 这个二爷爷可真年轻。

结果这个人却说："我是来送**快递**的，请付钱。"

"什么？送快递的？"我失望极了。

这时，老妈拿着钱走了出来，付了钱，收下了快递。

老妈批评道："米小圈，你的**观察能力**哪去了？你见过这么年轻的爷爷吗？"

我失望地回到了自己的房间。

我等啊盼啊，半个小时后，门铃又响了起来。我再一次冲了过去，打开门："二爷爷。"

结果是收水费的张奶奶。

张奶奶笑着说："米小圈，你什么**眼神**啊，我是你张奶奶。"

"哦，老妈，张奶奶来收水费了。"我再次失望地离开了。

又过了一会儿，门铃又响了起来。这一次我可要看准了才行。

我打开门一看，是个老头，背着一个大包。

（老妈评语：米小圈，注意礼貌。改为："是个老人家"）

我打量了一下这个老头，他肯定是来我家**收废品**的。

“对不起，我家里没有废品。”

“呵呵，什么废品啊，你小子就是米小圈吧，都长这么大了。”

啊？他怎么会知道我的名字？难道他就是我的二爷爷？

“二叔，您终于来了，快屋里请。”老妈把二爷爷请进屋里，“米小圈，快帮二爷爷把包拎进来。”

我把二爷爷的大包拎了进来，哇！好沉啊，莫非这里面就是送给我的礼物。

二爷爷在沙发上坐了一会儿，老爸拎着几瓶白酒回来了。

下面就到了派送礼物的环节了。二爷爷打开他的大包，先拿出一大袋木耳，送给了老爸。老爸高兴极了，他最喜欢吃木耳了。二爷爷又拿出两袋大枣，这是送给我妈妈的。

最后，二爷爷拿出一大包**山核桃**，呜呜呜呜，这是送给我的。

二爷爷还说，这些山核桃很有营养，能让米小圈变得更聪明，在城里买不到这么好的。呜呜，我不想变聪明，我想要一架遥控飞机。

礼物很快就分完了，老妈的菜也炒好了，大家坐在餐桌旁，吃起饭来。

二爷爷看着一桌子的美食，**感慨**地说："唉……现在的生活水平真是提高了，我年轻那会儿，吃顿肉就跟过年似的。"

老爸端起酒杯，说："二叔，你喜欢吃我们天天给你做。来！二叔，咱爷俩喝一杯。"

老爸和二爷爷在喝酒，我却在一旁闷闷不乐。我本以为会收到一份大礼，可是却……哼！还不如没有这个爷爷呢。

这时，老爸批评道："米小圈，二爷爷来了，你怎么也不说句话。快！陪你二爷爷喝一杯。"

"我是小孩儿，我又不能喝酒。"

"你可以用果汁代替啊。"

我很不情愿地端起果汁，说："二爷爷，欢迎你来我们家做客。爸爸，我吃饱了，我去姜小牙家玩一会儿。"

喝完果汁，我拿起足球，向姜小牙家走去。

姜小牙得知我收到的礼物只是一大包山核桃后，大牙都快笑掉了。

姜小牙笑了一会儿说："米小圈，你的山核桃怎么也不带来给我尝尝，说不定很好吃呢。哈哈哈哈……"

瞌睡虫

11 月 15 日 星 期 一

今天早上，我的同桌徐豆豆哭着找到我，非要跟我**换爷爷**不可。

换爷爷？这太好了，我不会是在做梦吧。我爽快地答应了，于是徐豆豆成了米豆豆，我成为了徐小圈。

我叫米豆豆。

我叫徐小圈。

有没有搞错呀？

放学后，我来到徐豆豆家。徐豆豆家里人可真多呀，我刚一进门，大家就向我扑了过来。徐爷爷跑过来送给我一个气派的书包，徐豆豆的姥爷送给我一个多功能文具盒，徐奶奶也很热情，送给我一条漂亮的花裙子。

好幸福呀，可是不对啊？我是男孩儿，为什么要送给我花裙子呢？

这时，我听见远处传来了一些**熟悉**的声音。

"快醒醒，米小圈，米小圈……"

"大姨，小圈哥不会是成植物人了吧？呜呜呜……"

小圈哥，你怎么成植物人了？

听见这些话，我知道，我的美梦就要破灭了。

我渐渐睁开眼睛，发现老爸、老妈、大牛站在我的床前，**焦急**地看着我。

老爸一把抱住我，"米小圈，你可算醒过来了，真是吓死我了。"

我揉了揉眼睛："我？我怎么了？"

我的表弟大牛说："小圈哥，你睡了整整一个上午，我挠你痒痒，你都没反应。"

"这么说现在是中午，不好！我迟到了。"我一下子从床上蹦了起来。

老妈说："米小圈，别急，我已经帮你**请假**了。"

哦，那就好，那就好。可是大牛这家伙怎么也没去上学呢。

大牛告诉我，他对老师说，自己的哥哥变成植物人了，他要在家照顾我。

大牛这家伙，就喜欢找借口逃课。

老妈问道："米小圈，昨晚你是不是贪玩了，才起不了床的？"

老爸打断老妈："好了，好了，米小圈醒过来比什么都强。米小圈，下次不许这么晚睡觉了。"

"哼！才不是呢，老爸，都怪你让二爷爷和我睡一张床。你知道吗？这个二爷爷，睡觉说梦话，还**打呼噜**。呜呜呜……就像开火车，不！就像地震一样。我根本就睡不着觉。"

地震啦！

爸爸了解完情况后，决定**挺身而出**，我跟妈妈睡在一起，他去跟二爷爷睡。

这还差不多。

这时，家里的门铃响了。是二爷爷，他拎了两大包中药。

二爷爷焦急地问："米小圈，你醒了？你看！这是我给你买的中药。年轻那会儿，我也遇到过这种情况，后来一个老中医给我开了个方子，把我的病治好了。"

我猜，二爷爷他年轻时，一定也有一个打呼噜的爷爷。对不对？

我要自行车

11 月 18 日　星 期 四

　　好玩的事情发生了，这几天老爸上班总是**迟到**。嘻嘻，这回终于轮到他起不来床了。

　　老爸对老妈说："快去把二叔前几天买的中药给我煎了。我实在困得不行了。"

你最近怎么总迟到？

老板

我叔叔打呼噜的声音太大了。

快起床！
快起床！

我在一旁呵呵地笑个不停。

今天早上，老爸还在睡梦中，我就已经起床去上学了。听不到二爷爷的**呼噜声**，睡觉就是香呀。

我先来到表弟家，小姨告诉我，大牛正在楼下晨练呢。

想不到大牛起得也挺早。我赶快下楼去找大牛，终于在花坛旁找到了他。大牛正绕着花坛骑他的"敞篷跑车"呢！

我求大牛："大牛，今天让我骑一下你的自行车，好不好？"

"那怎么行，这是我的**座驾**，从不外借的。再说小圈哥，你也不会骑自行车啊。"

"大牛，你小瞧人。我小时候也骑过两次呢。"

"我才不信呢。"

"不信你借我骑骑。"

"好吧，可是你只能骑一下就要还给我。"

嘻嘻，大牛中计了。能追上我就还给你。

我骑在自行车上，用力一蹬，飞快地骑了起来。

大牛在后面边跑边说："行了，小圈哥，我信你会骑了，快把自行车还给我吧。"

快把自行车还给我。

我越蹬越快，根本不理会大牛，把他甩到了身后。

大牛却没放弃，在后面拼命追赶。想不到大牛跑得这么快，居然追上了我，一下子扑到我身上。

大牛**得意**地说："哈哈，想甩掉我，没门儿！"

哎呀！不好！我俩同时摔到了地上。

可怕的事情发生了，大牛脑袋摔出了一个大大的红包。

我以为大牛会哭鼻子，谁知大牛却摸着自己的大红包哈哈大笑起来。

"哈哈！小圈哥，我就说你不会骑自行车吧，以后我再也不借给你了。"

"哼！不借就不借，有什么了不起的，我让我爸给我买一辆更好的。"

吃晚饭的时候，我向爸妈提出买一辆自行车的要求。呜呜，却被他们无情地拒绝了。

老爸听说我要买自行车，差点儿把饭喷出来。老妈听后，赶忙跑到厨房刷起碗来。

老爸，老妈，你们太过分了。大牛天天骑自行车，我就不能有一辆吗？我觉得我是从垃圾桶里捡来的孩子。

我越想越委屈，眼泪流了下来。

这时，二爷爷走过来，拍着我的肩膀说："小圈，他们不给你买，二爷爷给你买。"

　　"真的？"

　　"当然是真的。"

　　我擦了擦眼泪，喊道："二爷爷万岁！"

　　二爷爷接着说："不过呢，二爷爷现在没有钱，等我下个月发了养老金，一定给你买。"

　　"啊？要下个月才能买啊。"我有点儿小失望，不过也总比不给我买强呀。

　　老妈听说二爷爷要给我买自行车，赶快过来阻止，"二叔，米小圈要的那种自行车很贵的。"

　　二爷爷听完很生气："你们是瞧不起我这个老头子吗？一辆自行车，再贵能贵到哪去？"

　　对！二爷爷说得对，老妈你别瞧不起人。

　　老爸走过来说："二叔，您老别生气，其实也不是买

不买得起的问题，主要是不能惯着米小圈。老话说得好，男孩儿要穷养。"

　　老爸啊，什么穷养，明明就是你**舍不得**钱。哼！

逛街

11 月 20 日　星期六

今天，老爸陪同他的夫人，也就是我的老妈，一起参加同事的**婚礼**去了。只有我和二爷爷在家。

哈！这太好了，我终于可以光明正大地玩电脑游戏了。

我打开电脑，却发现有点儿**不对劲**，到底是哪里不对呢？不好！电脑的鼠标不见了。呜呜，一定是老妈把它带走了。

老妈，你以为没有鼠标我就玩不了游戏了吗？呜呜，还真是玩不了。

二爷爷看见我在发火，走过来说："你们这些城里的

孩子可真怪，怎么总喜欢玩这个小电视。"

"二爷爷，这哪是什么小电视啊，这叫**电脑**。里面有好多游戏，很好玩的。"我解释道。

"我们村的孩子没有这玩意儿，一天天也挺高兴的。小圈，不如我带你出去玩吧。"

"好呀，玩什么？"

"我给你做个铁环，咱们去滚铁环吧？"

"滚铁环有什么好玩的呀，二爷爷，不如我们去**逛街**吧，顺便看看自行车。"

二爷爷很赞成我的提议,我赶快穿上皮鞋,准备出发。

"等一等,我去拿点儿东西。"二爷爷跑进厨房,用空瓶子灌了一瓶白开水。

"二爷爷,不用这么麻烦了,逛街的地方都有卖水的。"

二爷爷说:"不麻烦,能省就省点儿,一瓶水得三元钱呢。"

想不到,我的这个二爷爷跟铁头一样抠门儿。

我和二爷爷来到购物中心,我指着一家最大的商场说道:"二爷爷,这里面就有卖自行车的,我们快进去吧。"

　　我拽着二爷爷往商场里面走，我们来到了卖自行车的商店。

　　我指着其中的一款自行车说："二爷爷，快看！大牛买的就是这样的。"

　　"别急，让我看看。"

　　这时，售货员阿姨走了过来："大爷你好，这辆儿童自行车是德国进口的，采用了人体工程学设计……"

　　"二爷爷，我就要这个。"

　　二爷爷问："这辆自行车多少钱？"

　　售货员阿姨说："不贵，2088 元。"

二爷爷，你的牙掉了。

好贵呀。

"啊？两千多？这么贵！"二爷爷差点儿把**假牙**吓掉了。

售货员阿姨接着说："大爷，一分钱一分货，我们的自行车采用了人体工程学设计……"

"有没有便宜一点儿的。"

"有，它旁边的这辆自行车 1988 元，不过这辆自行车适合 5 岁的孩子。"

我拽着二爷爷的袖子说："二爷爷，我就要这辆 2088 元的。"

可是二爷爷却对售货员阿姨说："谢谢你，我们再看一看。"二爷爷拽着我，赶快离开了这家商店。

"米小圈，这自行车太贵了，你二爷爷我可买不起，我给你买辆**国产**的，怎么样？"

"二爷爷，你不是说，再贵都给我买的吗？我都跟大牛说了，我爷爷会给我买一辆比他的还好的自行车。"

　　二爷爷**为难**地说："我是说过，可是我一个月的养老金才……"

　　我生气地说："二爷爷，你骗人。"

　　"米小圈，你是我孙子，我怎么会骗你呢。"

　　"你对我一点儿都不好，你才不是我爷爷呢。"说完，我跑开了。

　　我越跑越快，把二爷爷甩在身后。

神秘的二爷爷

11 月 22 日 星期一

每个人都有自己的爷爷，可我米小圈却没有。我好命苦呀。

老爸一定会生气地说："米小圈，不许这么说，你还有一个二爷爷呢。"

好吧，我确实有一个二爷爷，可是这个二爷爷对我一点儿都不好。你看大牛的爷爷，什么都给他买。还有徐豆豆的爷爷，每次过生日都会送她很多礼物。可我的二爷爷呢？只送了一袋山核桃给我。

老妈批评道："米小圈，你怎么这么不懂事呢？你二

爷爷在农村生活本来就不容易，你怎么还能向他要礼物呢？"

其实我也知道，二爷爷生活很不容易，我不是非要他给我花钱。可我就是想要一个疼我的爷爷。

自从二爷爷不给我买自行车以后，我已经好几天没跟他说话了。二爷爷也不怎么在家了，整天都**神神秘秘**的。每天我还没有起床，他就已经出门了。每天我都放学了，他还没有回来。难道二爷爷是为了怕我向他要自行车才躲着我的？呜呜。

今早，大牛穿了一双新球鞋。那是他的爷爷给他买的。

大牛说："小圈哥，我这双鞋是国际名牌，阿迪王。"

我只听说过阿迪达斯，可这个阿迪王是什么呀？

大牛又说："就是阿迪国的国王，据说穿上这双鞋，能跑出飞人的速度。"

大牛，你少来，就你这么胖，还飞人呢？我看你是肥人还差不多。

大牛见我不信，于是提议跟我比赛。

大牛说："小圈哥，如果你赢了我，我就把书包里的

飞人和肥人的区别

零食都送给你。可要是你输了，就把你书架上的那套《名侦探柯南》的漫画书送给我。"

呵呵，这个傻大牛，我比你大两岁，而且你还是个小胖子，我米小圈没理由会输给你的。

"好啊，大牛，可是你要是输了，不许反悔。"

"我穿了新球鞋，怎么会输给你呢。"

"预备，跑！"

我和大牛飞快地跑了出去。想着大牛书包的零食，我劲头十足，越跑越快，把大牛甩在了身后。

我跑啊跑，终于跑到了学校。可万万没想到，大牛已经坐在校门口吃起了零食。

不可能，大牛是什么时候超过我的？我怎么没看见？难道他抄近道了？也不对呀，我们平时走的路就是最近的了。

大牛坏笑着说："我名侦探大牛怎么可能输给你呢。

小圈哥，今天放学，我去你家拿漫画书。"

　　后来才知道，大牛穿着自己的新球鞋，坐上了 2 路公交车。呜呜，大牛你这个骗子。

捡瓶子的老头

11月23日 星期二

我们学校为期半个月的"了解父母，理解父母"活动终于**结束**了，我们班的同学都高兴得跳了起来。终于再也不用给我爸爸洗脚啦。

可是仅仅高兴了一会儿，魏老师就宣布，学校又组织了一个"帮助孤寡老人"的活动。

魏老师说："同学们，我们这个社会上不是每一个老人都有幸福的晚年，还有很多老人很**孤独**，甚至生活得很不好。身为少先队员的你们，是不是应该帮助这些老人呢？"

全班同学异口同声地喊道："是！"

魏老师接着说："同学们，你会选择什么**方式**帮助这些老人呢？大家说说看。"

车驰第一个举手，说："老师，我可以给爷爷奶奶讲故事。"

李黎说："我会给他们擦玻璃。"

铁头说："我会给他们挑水劈柴。"

姜小牙说："我会给他们洗脚。"

说完，同学们都乐了起来。呵呵，姜小牙，你除了洗脚，就不会点儿别的是吗？

老爷爷，
我给您洗脚。

今天下午，我们班就要去帮助**孤寡老人**了。同学们踊跃举手，都想参加这次活动。可我们班才找到两位孤寡老人，班级同学那么多，根本就不够分的。于是魏老师决定，让第一组和第二组的同学去帮助孤寡老人，剩下的同学在班级写作业。

我一听，赶快举手："老师，我也想去帮助孤寡老人。"

魏老师说："米小圈，愿意帮助老人这很值得表扬，但是这次我们不能去太多人。下次再有需要帮助的老人，一定让你们第三组去。"

听完魏老师的话我很失望。我真的很想出去玩，啊！不是，我真的很想去帮助孤寡老人。

我的旧同桌李黎是这次活动第二小组的负责人。她走到我面前，悄悄对我说："米小圈，我还不了解你。你才没有那么好心呢，你就是为了不写作业。"

我反驳道："你胡说！我才不是为了不写作业呢，我是为了出去玩。"

"你看，我一猜就是。"

"不是，刚才被你气糊涂了，我是为了可怜的老人。"

李黎**威胁**道："米小圈，你乖乖在教室写作业吧，明天我第一个收你的作业。"

这个李黎，和我做同桌的时候就跟我有仇，到现在还不放过我。

这回铁头被选上了，可把他高兴坏了。铁头说："我要给老爷爷**挑水劈柴**，干完活说不定老爷爷还会留我在他家吃晚饭呢。"

我怀疑，铁头这家伙不是去帮助孤寡老人的，是去祸害人家的。本来老爷爷就没钱，被你这么一吃不更穷了吗？

姜小牙也想去帮助孤寡老人，当然他和我一样，其实是想出去玩。

姜小牙说："米小圈，反正魏老师也不在，不如我们逃课吧。"

我赶快**阻止**道："这怎么行？万一被魏老师知道了，她一定不会放过我们的。"

这就是逃课的下场。

姜小牙想出一个好办法，既可以逃课，又不会被惩罚。

姜小牙说："魏老师要是知道我们逃课是为了去帮助孤寡老人，她会怎样？"

"我明白了，她一定会**表扬**我们的。"

"没错！所以我们去找一个孤寡老人，然后帮助他。"

第一组和第二组帮助孤寡老人去了，我和姜小牙也

偷偷溜了出去。我们来到公园，这里的老人最多了，有唱歌跳舞的老人，也有下象棋的老人。

姜小牙找了一个老人，问道："爷爷，你是孤寡老人吗？"

这个爷爷生气地说："你这孩子，怎么说话呢？你们才是孤寡老人呢。"

姜小牙怎么可以这样问呢？太没礼貌了，难怪那个爷爷会生气。这时，我们发现远处有一个老人正在翻垃圾箱，从里面捡了一个饮料瓶子，放在自己的袋子里。

姜小牙说："米小圈，你看这个老人多可怜，他一定是吃不上饭才靠捡废品赚钱的。"

说着说着，姜小牙都快哭了。

"姜小牙说得对。他一定是孤寡老人，我们要帮助他。"

我们向那位"孤寡老人"冲去。

"老爷爷，让我们来帮助你吧。"

可是这位老人一回头，说道："米小圈，怎么是你？"

"是二爷爷？"我差点儿晕倒过去。

姜小牙得知这位老人就是我的二爷爷，高兴极了。赶快帮助二爷爷在垃圾箱里找起了饮料瓶子。二爷爷还夸奖了姜小牙。

姜小牙帮二爷爷捡了好几个饮料瓶子，然后高高兴兴地回家了。我却一直闷闷不乐。

二爷爷看我不开心，问道："小圈，你还在为自行车的事生爷爷的气吗？"

我生气地说："二爷爷，你怎么这样呀。我们家又不

是吃不起饭，你干吗捡饮料瓶子。"

"我就是没事闲得慌。"

我哭着说："姜小牙一定会笑话我的。我的爷爷被当成孤寡老人了。多丢人啊。"

"唉……小圈，是二爷爷不好，给你丢人了。"

"你本来就不是我的爷爷，你干吗要来我家。"说完，我哭着跑开了。

最想哭的日子

11 月 25 日 星期四

　　昨晚我偷偷给姜小牙打了一个电话，要求他不要把二爷爷捡饮料瓶子的事告诉别人。

　　姜小牙却不同意："为什么不能说？我觉得你的爷爷很**可怜**，我们应该发动全班同学，大家一起来帮助他。"

　　我赶快阻止姜小牙："不要！不要！总之，姜小牙，算我求你了，千万不要说出去。"

　　姜小牙说："那好吧，好朋友的**秘密**我是不会告诉别人的。"

　　姜小牙就是够意思。挂掉电话，我总算放心了。

结果今天一大早，呜呜，铁头就知道了。

我找到姜小牙，生气地说："姜小牙，你太**不讲信用**了。"

姜小牙却说："我告诉的不是别人呀，是咱俩的好朋友铁头。"

铁头比姜小牙更过分，不光在班级大肆宣扬这件事，而且把书包当成了**募捐箱**，鼓动同学们为二爷爷募捐。

我的旧同桌李黎来到我面前，批评道："米小圈，你太不孝顺了。"

我更生气了，大喊道："**少管闲事**，他根本不是我爷爷。"

李黎接着说："想不到你连自己的爷爷都不认了。他不是你爷爷，那是谁？"

"是我爷爷的弟弟，也就是我爸爸的叔叔。"

"爷爷的弟弟不也是你的爷爷吗？"

真是气死我了，我怎么说你们才能懂呢。本来我活得好好的，天上**突然**掉下来个老头，一下子就成我爷爷了。

铁头告诉我："米小圈，同学们都想帮助你的爷爷，这年头找到一个孤寡老人可不容易，我们这周末就去你家。"

车驰说："没错，米小圈，我可以给你爷爷讲故事。"

李黎说："我可以帮他擦玻璃。"

姜小牙说："我可以帮你爷爷洗脚。对了！还可以帮他去捡饮料瓶子。"

我生气地喊道："不许去！谁要你们帮呀。"

可是他们根本不听，非去不可。

放学后，我闷闷不乐地回到家。

老妈做了一桌子的美食，可是我却完全没有胃口。想到这周末同学们就要来我家，我难过得都快哭了。

从此以后，我米小圈在班里永远都抬不起头来了。

我爸爸今天回来得真早，此刻他正在往酒杯里倒酒。

我坐到餐桌旁，问道："老爸，你今天怎么回来这么早啊？"

"因为我们今天要为二爷爷饯行。"

"什么？你的意思是说二爷爷要走了。"

"是啊。"

"太好了。"

老爸生气地说："米小圈，你说什么？"

我赶快改口："我说，我说……我太难过了。真舍不得二爷爷啊。"

"米小圈，你真懂事。我也正准备劝他老人家多住几天呢。"

"不要！"

"为什么？你不是舍不得二爷爷吗？"

"可是我觉得二爷爷出来这么久，肯定想家了。"

"说得也对。"

呵呵，老爸居然相信了我的话。太好了，二爷爷一走，姜小牙他们就不会来我家照顾孤寡老人了。

二爷爷，欢迎下次再来。

二叔，你不要走。

北猫叔叔小课堂

同学们，你们的爷爷、奶奶、姥姥、姥爷疼爱你们吗？你们是否也爱着他们？北猫叔叔相信善良的你，一定会说是的。

可是此刻的米小圈，却没有像你一样。米小圈这样对待自己的二爷爷，北猫叔叔是万万没有想到的。也许你会说，北猫叔叔，你骗人，这个可是你写的呀。

好吧，被你看穿了，呵呵。其实，北猫叔叔之所以这么写，并非要把米小圈写成一个坏孩子。是想给小朋友们提个醒，我们应该尊重疼爱我们的老人。

还记得北猫叔叔小的时候，家里很穷。有一次，别人送给家里一只烧鸡。我的爷爷告诉我，他最不喜欢吃烧鸡了。结果，这只烧鸡都被我吃掉了。直到我长大了懂事了，我才发现，我的爷爷并非不喜欢吃烧鸡，而是为了省下来，留给我吃。

同学们，我们的爷爷、奶奶、姥姥、姥爷对我们的爱是你们现在还不能完全理解的。当你像北猫叔叔一样，长大成人，可以靠自己的能力赚钱的时候，你可能就全明白了。可是当北猫叔叔赚到钱，想孝敬爷爷的时候，爷爷却已经不在了。

所以同学们，请珍惜爱我们的人吧。不要像北猫叔叔一样，追悔莫及。

谨以此书献给我深爱的爷爷。

温暖的一天

11 月 28 日 星期日

二爷爷今天下午就要走了，我又可以睡在自己温暖的小床上了。这真是太好了。

可老爸起床后却找不到二爷爷了。

我们在家等啊等，都已经 10 点了，二爷爷却依然不见踪影。

老妈说："二叔会不会去公园锻炼身体去了。"

我说："肯定是去捡瓶子了。"

我们赶紧去公园找二爷爷，可是依然没有找到。这时，时钟指向了 11 点。

老爸说："如果 12 点再不走，就赶不上火车了。"

什么？赶不上火车？那怎么行。

这时，二爷爷推着一辆**自行车**，向我们走来。

我一看，这不正是我想要的那辆自行车吗？二爷爷居然给我买来了。我向自行车扑了过去。

老妈说："二叔，这辆自行车太贵重了。"

老爸说："是呀，二叔你哪来的钱呀？"

二爷爷说："这个我自然有办法，我答应给小圈买，我就一定要做到。"

二爷爷对我真是太好了。

这时，张奶奶拿着几个饮料瓶子走了过来："老米，我帮你捡了几个瓶子，给你！你不是说要给你孙子买自行车吗？"

"什么？二爷爷的钱是捡瓶子换来的？"我一下子愣住了。原来二爷爷捡饮料瓶子是为了给我买自行车，可我却嫌弃他，说了让他伤心的话。我真是太过分了。

二爷爷说："哈哈，这有什么呀，我一个老头闲着也是闲着，权当锻炼身体了。好了，我看时间也差不多了，我们去火车站吧。"

我拽住二爷爷向他承认错误："二爷爷，您别走。米小圈对不起您。"

"你这孩子，二爷爷能生你的气吗？我出来这么久，想家了。"

我赶快说："二爷爷，这里就是您的家呀。"

老爸接着说："是呀，二叔。"

"不了，给你们添了不少麻烦，再说这票都买好了。"

老爸说："我可以把票退掉。"

我接着老爸的话说："二爷爷，你要是走了，米小圈会难过一辈子的。"

"哈哈，小圈，你难过什么呀？"

"二爷爷您对米小圈这么好，我却总是嫌弃您。我发誓，从今天起我再也不嫌弃您了。不！我要跟您一起去捡饮料瓶子。"

老妈说："二叔，就留下来吧。"

"这……好吧。我就再住几天。"

太棒了！二爷爷终于肯留下来了。我决定，从今天开始，我要和二爷爷睡在一起。再也不嫌弃他打呼噜了。

老爸高兴得跳了起来："太好了，我再也不用听打呼噜的声音了，我**解放**了。"

"老爸，不许嫌弃二爷爷。"

晚上，二爷爷怕他的呼噜声吵到我，所以要等我睡着了他才睡。

我请求二爷爷给我讲一个他小时候的故事。

二爷爷想了想，说："我小的时候呀，还真有一件特别离奇的事。我记得那是我五岁的时候，我们一群孩子去山上玩。玩着玩着，我们回头一看，我和我的小伙伴都惊呆了。是一条小蛇，正张着大嘴向这边爬过来。

"一个胆大的小孩儿抓住了蛇，非要把它打死。我不忍心，抱起小蛇，一口气跑到家。

"回家后，蛇不但没咬我，反而跟我一起玩。我一吹笛子，小蛇就会跳舞。于是我就把蛇养了起来。

"小蛇越长越大，但是这条蛇从来没有伤害过我。夏天，天很热，可是蛇的身体却很凉快，我就抱着蛇到处

这条蛇居然会打呼噜。

去玩。把我们村的小孩儿全都吓跑了……再后来……"

　　我听着听着就进入了梦乡。

　　我梦见二爷爷变成了那条**大蟒蛇**，可是这条大蟒蛇却没有吃我。我把大蟒蛇抱回了家。我把大蟒蛇抱到了床上，大蟒蛇睡着了，打起了呼噜。

谁买我的自行车

12月1日　星期三

今天我骑上二爷爷给我买的自行车，来到学校。这辆自行车真的是**太棒了**。

在学校门口正好碰见了铁头和姜小牙，铁头和姜小牙也非常喜欢我的自行车。特别是铁头，非要骑一圈不可。

二爷爷省吃俭用给我买的自行车，我怎么能够借给别人呢。可是……呜呜，铁头趁我没注意，把自行车抢了去。

姜小牙说："这辆自行车太棒了，明天我也让我爸爸给我买一辆。"

我突然有一个想法，二爷爷赚钱这么不容易，不如

我把自行车卖掉，把钱还给二爷爷。

于是我说："姜小牙，看你这么**喜欢**，要不我把这辆自行车卖给你吧。"

姜小牙说："我才不要呢，你都骑过了。"

于是我把二爷爷给我买自行车的事讲给姜小牙和铁头听。姜小牙听完差点儿哭出来。

姜小牙说："你爷爷对你真是太好了。好吧，本来我还怕我老爸不给我买呢，如果你把这个故事讲给他听，他一定会**同意**的。"

放学的时候，我去了姜小牙家。

小牙爸爸真是太**慷慨**了，听我讲完二爷爷的故事后，

把自行车还给我。

好拉风呀！

=3

决定买下这辆自行车。

我拿着钱，高高兴兴地回家了。

回到家后，二爷爷见我没有骑他买的自行车，很纳闷。

我把钱还给二爷爷，告诉他，我米小圈长大了，我要自己**赚钱**买自行车。而且姜小牙和铁头已经答应我了，帮我一起赚钱。

二爷爷问："怎么帮你赚钱？"

"从明天开始，我们要一起捡饮料瓶子。"

老爸走过来说："米小圈，你能体会二爷爷的不容易这很好。可你还只是个小学生，要把时间用在学习上。算了，爸爸出钱给你买一辆。"

"不！我一定要自己赚钱。"

二爷爷举双手赞成我的想法："小圈，你做得对。不如这样吧，我们一起赚钱，再买一辆自行车。"

"好啊！好啊！"

我和二爷爷约定，明早开始，把全城的饮料瓶子都捡回来。

捡瓶子大赛

12月4日 星期六

　　这一段时间，我再也不睡懒觉了。每天提前起来一个小时，和二爷爷去公园晨练。

　　当然，别的老头都是打太极拳，打羽毛球，唱歌跳舞。只有我和二爷爷，锻炼捡饮料瓶子。

　　我发现，公园有好多人都不注意**环境卫生**，到处乱扔饮料瓶子。

　　二爷爷说："我们把瓶子捡回来，不但赚到了钱，还让公园变得更干净。所以说，捡饮料瓶子不但不丢人，还很光荣呢。"

"没错！**环卫工人**阿姨一定会很高兴的。"

我和二爷爷好像得了病，只要看见瓶子眼睛就冒绿光，就想跑过去捡起来。

我刚捡到一个瓶子，就听见有人在喊："米小圈，我们来了。"

我回头一看，是姜小牙和铁头。

姜小牙说："我们来帮你一起捡瓶子。"

铁头说："你看！我还拿了两个大袋子。"

姜小牙和铁头真是太够朋友了。

其实我是想赚点儿钱。

你真是个好孩子。

二爷爷提议："这样捡瓶子太**无聊**了，不如你们三个小孩儿比赛吧。"

铁头高兴得跳了起来："好哦，好哦，我最喜欢比赛了。"

二爷爷宣布："节能环保的捡瓶子大赛现在开始，出发！"

我和铁头，还有姜小牙，像三条饿狼一样，向垃圾堆冲去。

半个小时后，公园里所有的垃圾桶都已经被我们翻遍了，再也没有什么瓶子可以捡了。

这时，我想到一个好办法。

我捡了一张**硬纸壳**，在上面写道：求求你，给我一个饮料瓶子吧。我好饿。

然后我把硬纸壳举了起来，不一会儿大家就都围了过来。

好心的叔叔阿姨都想给我钱，有一位老爷爷居然掏出一百元大钞。

可是我却不要，我告诉他们，我要靠自己的劳动赚钱。我只要饮料瓶子。

这可难住了好心的叔叔阿姨。

不一会儿，公园里**小超市**的饮料就都卖光了。叔叔阿姨们喝了水，把空瓶子送给了我。

比赛结束！

我以 128 个饮料瓶子夺得了冠军。

铁头以 32 个饮料瓶子夺得了亚军。

姜小牙只捡了 15 个饮料瓶子，却还不服气。非要去小超市买点儿饮料。

我告诉他，别想了，都已经卖光了。

谁是武林高手

12 月 7 日　星期 二

　　天气越来越冷了，学校决定把体育课改为室内讲故事课，却遭到了全校同学的一致反对。

　　比起在教室里闷着，大家更喜欢出去玩。哪怕是在南极，我们也要上体育课。

这么冷的天，我们还是回屋讲故事去吧。

妈妈，我也想去玩。

校长大人还是很通情理的，恢复了我们的体育课。

得来不易的体育课，大家**倍加珍惜**。肌肉老师宣布："同学们，冬天来了，我们体育课的内容也要变一变了。"

我觉得怎么变都行，只要不在教室里讲故事。

肌肉老师接着说："我要教大家一些容易使我们身体产生热量的运动。"

"太好了，我要学，我要学。"同学们都很期待。

肌肉老师又说："好，现在我们就到街上去，绕着学校跑三圈。"

啊？跑三圈，这还用教吗？一点儿**创意**都没有。

没有办法，老师的话还是要听的，我们绕着学校跑了三大圈，同学们都喘着粗气。

肌肉老师问道："怎么样？是不是感觉身上暖和了。其实跑步只是热身运动，我真正要教给大家的是——功夫。我们中国的功夫！"

"功夫？"同学们一听，激动起来。只有铁头不以为然，他觉得肌肉老师教的都是些**花拳绣腿**，自己学的少林长拳才叫功夫。

肌肉老师又问道："有哪位同学学过功夫？"

同学们没人举手。奇怪，铁头居然也没举手。

肌肉老师**自言自语**："那我就放心了。既然没有人会，那我就教大家一套……"

这时，铁头却把手举了起来："老师，我会，我会。"

肌肉老师有点儿生气："你刚才为什么不举手？"

"嘻嘻，刚才走神了。"

"好吧，把手放下。下面，我来教大家打一套太极拳。"说完，肌肉老师打起了太极拳。

肌肉老师只教了一遍太极拳，就问道："哪位同学学会了？"

这一次铁头没有走神，把手高高举起。

"邢铁同学，你上来给大家做个示范。"

铁头走到肌肉老师旁边，打了一套太极拳。别看铁头学习很差，但学武功一遍就会了。

铁头打完太极拳，对肌肉老师说："老师，我觉得太极拳太慢了，还是少林长拳更厉害。"

肌肉老师生气地说："邢铁，你说什么？"

"老师，不如我们来比一比吧。"

肌肉老师偷偷地笑了。心想：我一身肌肉块，怎么可能输给你这个臭小子。

　　肌肉老师接受了比武，铁头跟肌肉老师**比画**起来。可是肌肉老师力气太大了，铁头根本不是他的对手。

　　这时，铁头喊道："老师，快看！外星人。"

　　肌肉老师转头看去。铁头赶快上了一步，将肌肉老师摔倒在地。

　　"哈哈，老师我赢了。"

　　结果，铁头被肌肉老师**惩罚**扎马步。

　　铁头啊，我早就说过，你的武功早晚会害了你。

　　放学后，我背起书包正准备回家，却被铁头叫住了。

铁头递给我一张纸条，我打开一看，上面写着——挑战书。

挑战书

我铁头要向捡饮料瓶子大赛冠军米小圈挑战武功。

如果不敢应战你就是胆小鬼，如果你敢应战，咱们就星期六早上八点公园假山上一决高下。

你的好朋友铁头

米小圈，你怎么还不来？

50年后的星期六······

米小圈，你终于来了。

铁头，你可真淘气，在假山上站了50年，你妈妈叫你回家吃饭。

铁头居然还好意思在挑战书上写下"好朋友"三个字。

好朋友应该是**有福同享**有难同当的，可铁头呢？明明知道我打不过他，却偏要跟我比武。

我接过挑战书，说："好吧，铁头，我接受你的挑战，星期六，假山上见。"

"好！星期六，谁不来谁小狗。呵呵……"说完铁头乐呵呵地回家了。

其实铁头中计了，他的挑战书上只写了星期六，但没写哪个星期六呀？我决定，先在家练上 50 年，50 年后的星期六再去跟他**比武**。

米小圈拜师

12月8日 星期三

本来我是想，这个星期六在家睡大觉的，让铁头自己去公园比武。

可二爷爷却说，做人最重要的就是要**讲信用**，答应对方的事就一定要办到。

二爷爷啊，我也不想不讲信用呀，和铁头比武这件事，我真的是做不到啊。铁头那么壮，而且练了一年的少林长拳，我怎么打得过他呢？

二爷爷告诉我，他年轻的时候可是县里面的摔跤冠军。只要他**略加指点**，我就能赢铁头。

"真的假的呀？可现在我怎么一点儿都看不出来？"
我有点儿怀疑二爷爷的话。

二爷爷**斩钉截铁**地说："当然是真的！不信咱找个人
试试我的身手。"

试一试？这个主意不错，可是该找谁呢？

这时，老爸跑了过来："你们爷俩在玩什么呢？这么
开心，带我一个。"

我和二爷爷相视一笑。

二爷爷说："博文，我们正在玩摔跤游戏，也带你一
个。"

我补充道："二爷爷可是**摔跤冠军**，老爸，你可要小

心啊！"

"呵呵，我看还是你们小心点儿吧。"老爸展示了一下他没有肌肉的胳膊，"来！先摔谁吧。"

二爷爷上前一步，拽着老爸的胳膊，直接把老爸掀翻在地。

我赶忙鼓掌："哇！二爷爷好厉害，不愧是摔跤冠军耶。"

我当即决定，拜二爷爷为师，一定要打败铁头。

放学的时候，我们来到公园，二爷爷开始向我传授摔跤秘籍。

三天后我就要和铁头比武了，普通的基础训练是来不及了。二爷爷决定把最精华的"摔跤三招"教给我。

第一招：躲。

二爷爷说："少林长拳讲究的是放长击远。"

放长击远？不明白，但是我觉得一定很厉害。

二爷爷接着说："放长击远就是以长击动作为主，以发挥'一寸长，一寸强'的优势。"

我好像有点儿明白了，就是说铁头打得到我，我却打不到他。

"没错，米小圈，你可真聪明。长拳不光是因为它击打的距离长，而且拳速很快。所以这第一招，就是'躲'，

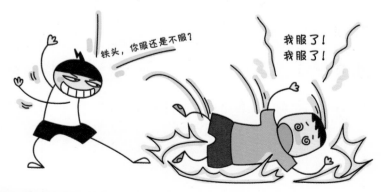

以最快的速度躲开铁头的拳头。"

第二招：抱。

二爷爷接着说："躲过铁头的拳头之后，你就要想办法死死地抱住他。"

我问道："抱住他之后，要亲他吗？"

"什么呀？米小圈，认真点儿。"

"是！师傅。"

第三招：摔。

"抱住铁头，他的拳头就不会再打到你了。然后你就找机会把铁头摔倒。"

"就这么简单？"

"说起来简单，做起来可并不简单。好了，现在开始正式练习摔跤三招。"

"是！"

我**认认真真**地练了起来，很晚才回家。

比武的日子

12 月 11 日　星期六

　　到了比武的日子，我和二爷爷**准时**来到了公园的假山上。呜呜，可是铁头却没有来。铁头居然放我鸽子。

　　难道他是怕了我啦？我和二爷爷正准备离开的时候，铁头赶来了。

这周末我们去放鸽子吧。

这次果然被放鸽子了。

"米小圈，我还以为你不会来了呢。"

"怎么可能。呵，铁头，我已经拜了我二爷爷为师，你现在已经不是我的对手了。"

"**废话少说**，我们开始吧。"

二爷爷宣布，米小圈和铁头的武林争霸大赛，现在开始！

铁头摆开架势，向我发起攻击。铁头一拳差点儿打到我，还好我有二爷爷教我的摔跤三招中的第一招：我躲！我躲！我躲躲躲！

铁头又打出一拳，我的机会来了，我快速躲开铁头

的拳头，一下子抱住了铁头。

铁头说："米小圈，你抱我做什么？"

呵呵，铁头不知道，这可是摔跤三招中的第二招：我抱！我抱！我抱抱抱！

我死死地抱住铁头的腰，铁头根本没办法出拳了。

现在该我动手了。摔跤三招中的第三招：我摔！我摔！铁头太壮了，我根本摔不倒铁头呀。

这时，铁头也抱住了我，我俩一起摔倒在地，打起滚来。

二爷爷当即宣布，比赛结束，双方打成平手，都是这次比赛的冠军。

　　我高兴得跳了起来。虽然我没能赢了铁头，可是我也没输呀。铁头总说自己是武林高手，我看他是吹牛高手还差不多。

来我家做客吧

12月12日 星期日

　　今天姜小牙打来电话对我说："米小圈，既然你的爷爷没有走，那我们可就要去你家**帮助**孤寡老人了。"

　　"哼！姜小牙，你才是孤寡老人呢，二爷爷有我，还有我的爸爸妈妈。他怎么会是孤寡老人呢？"

　　"我不管，反正同学们都已经说好了。我们还定了一个口号叫'孤寡老人我们要帮助，没有孤寡老人创造一个也要帮助'。"

　　"讨厌，不许来！来了我也不开门。"我**挂断**电话，闷闷不乐起来。

二爷爷看我不太高兴，便过来安慰我："米小圈，你的同学都是**善良**的好孩子，我反而觉得应该邀请他们来咱们家玩。"

"可是他们会把二爷爷您当成孤寡老人的。"

"如果你不让他们来，他们反而会觉得你米小圈不孝顺我，天天欺负我。"

"二爷爷你可是摔跤冠军，我怎么敢**欺负**你呢。"

二爷爷接着说："我觉得，如果同学们来了，一看我生活得很幸福，我的孙子对我很好，流言不就不攻自破

了吗？"

有道理，我怎么没有想到。我赶快给姜小牙打去电话："喂！姜小牙。"

姜小牙在电话那边说："米小圈，别说了，我们一定是要去的。"

"这……好吧，我的二爷爷正在**忍饥挨饿**，你们要是想帮助他，就多带点儿好吃的，对了，你爸爸给你在美国买回来的巧克力别忘了带上。"

"这绝对没问题。"

这下发财啦。

一个小时后，同学们带着各种好吃的来到我家。都是我喜欢吃的，我口水都要流出来了。

我的死对头李黎对二爷爷说："爷爷，你受苦了。哼！米小圈，你太不**孝顺**了。"

我乐呵呵地说："呵呵，都是我不好。"

"你还笑得出来。爷爷，我帮你洗衣服吧。"

二爷爷说："等一等，同学们，我要告诉大家一件事。你们误会了，我的孙子米小圈对我非常好。他很喜欢自行车，可是为了不让我花钱，他把心爱的自行车卖掉了，他也从来不嫌弃我打呼噜。所以，同学们，我要告诉大家，我现在是天底下**最幸福**的老人。"

"啊？原来是这样呀。"没有孤寡老人可以帮助了，同学们都很失望。

二爷爷说："同学们，不如我们来演个戏吧。"

"演什么？"

"我来演可怜的孤寡老人,大家来照顾我,怎么样?"

"好啊。"同学们又高兴起来。我米小圈也不再是孙子了,而是一名爱心小学生。

我这个二爷爷还真喜欢玩,简直就是个**老顽童**。

车驰说:"老爷爷,我给您讲故事。"

李黎说:"我给您洗衣服。"

铁头说:"我帮您拖地。"

姜小牙又说:"老爷爷,我给您洗脚。"

姜小牙这家伙,洗脚洗**上瘾**了是吗?

轮到我了,可是该做的都让他们给做了,我该为二爷爷做点儿什么呢?

我突然想到了:"老爷爷,我帮您洗袜子吧。"

"好,米小圈同学,谢谢你。"二爷爷脱下他一个星期没换过的袜子。

"还真洗啊?"

李黎说："那当然，虽然是演戏，也要**动真格**的。"

说完，大家开始行动起来。

二爷爷的袜子，居然和老爸的一样臭。呜呜……

不好意思，一个星期没洗过了。

好臭啊。

节约小能手

12月15日 星期三

今天早上，二爷爷去市场买回来两个**洗脸盆**。

我对二爷爷说："二爷爷，咱们家卫生间里有水池，用不着洗脸盆了。"

二爷爷却说："用水池洗脸，洗完脸的水就都流走了。如果用脸盆洗，这些水还可以冲马桶。"

二爷爷也太能省钱了吧，一吨水才 5 元钱，能浪费多少呀。

二爷爷又说："节约要从**一点一滴**做起。米小圈，你算一算，如果我们一个月能节约四吨水，那么一年就可

以省下 240 元钱。"

"那么九年我就可以买一辆自行车了。"

"没错。"

早知道九年前我就节约用水了。

老爸走进卫生间，说："你二爷爷说得没错，你这小子平时就是太**浪费**了。父母赚钱多不容易呀。"

说完，老爸开始在水池洗脸。

二爷爷生气了："你还好意思说米小圈，给你一个脸盆，从今天开始不许在水池洗脸。"

"哦，好吧。"老爸只好乖乖听话。

二爷爷说："还有这电，大白天的就不用开灯了。"

老爸又乖乖地把灯关掉。

吃完早餐，我准备去上学了，二爷爷叫住我，给我灌了一瓶白开水。

"米小圈，上学的时候就别去买饮料了，第一对身体不好。第二，一天浪费 3 元钱。一年就浪费……"

我抢答道："一年就浪费了 1095 元。"

"你小子，算账还挺快。"

　　天啊，我真的明白了。如果我能每天节约一点儿，那么一年就能买辆进口自行车了，根本就不用九年。

　　中午的时候，姜小牙要我和他去买零食。我告诉他，我不去了，从现在开始我要省吃俭用。如果我一天能节约 5 元钱，那么我一年就可以节约 1825 元。50 年我就可以节约 9 万元。别说自行车了，买飞机都够了。

　　姜小牙赶快反驳我："米小圈，9 万元买飞机还真不够。我请你，去不去？"

　　"那还用说，傻子才不去呢。"

　　我和姜小牙买了一大堆零食吃了起来。

那都是我的血汗钱啊。

姜小牙说："你倒是节约了，花的全是我爸爸的钱。"

嘻嘻，谁让我们是好朋友呢。

晚上回家，我告诉二爷爷，我今天在饮料上省了 3 元钱，不买零食省了 5 元钱，还有作业本，我也省了 2 元钱。我一共省了 10 元呢，那么大半年我就可以买自行车了。

二爷爷听完很高兴，鼓励我**再接再厉**。

这时，我发现二爷爷的毛衣上有一个小窟窿。二爷爷拿来针线，把窟窿补上了。

我决定从今天起，每天省 10 元钱。给二爷爷买一件漂亮的毛衣。

米小圈温馨提示

小朋友们，从今天开始，和米小圈一起节约吧。

最好玩的游戏

12月18日 星期六

又一个星期六到了，我依然没有睡懒觉，早早就和二爷爷来到公园，先是学习摔跤，然后捡饮料瓶子，再然后给爸爸妈妈买早点。

二爷爷夸我，越来越**懂事**了，而且摔跤的功夫也越来越厉害了。

不过嘛，我决定今天也教二爷爷几招武功。

我和二爷爷回到家，我偷偷打开电脑，找到了里面的格斗游戏。

"二爷爷，你看这就是我要教你的武功。"

"玩游戏啊？我可不会。"对于从来没碰过电脑的二爷爷来说，这的确是很难的。

"你看，这个按键是出拳，那个是出脚，还有这个是防御。"我**耐心**地指点着二爷爷。

二爷爷摔跤很厉害，可打电脑游戏就完全不是我的对手了。这时，我的对手出现在我身后。我的意思是说，我可怕的老妈来了。

老妈大喊道："米小圈，你怎么又在玩电脑游戏？"

我赶快解释："老妈，我玩的不是游戏，我玩的是……"

老妈又说："你玩的是寂寞，对吗？"

"才不是呢，我是在教二爷爷武功。"

老妈根本不听我的解释，呜呜，又把鼠标拿走了。

没有游戏可以玩，我很难过。

二爷爷却说："米小圈，咱们可以玩真人游戏啊。"

"真人游戏，怎么玩？"

二爷爷和我扮成格斗游戏里的人物，开始对打起来。

二爷爷故意输给了我，假装被我打中了，倒在地上。

我觉得这个真人格斗比电脑游戏还好玩呢。明天我还要玩。

二爷爷救我

12 月 20 日　星期一

从今天开始，恐怕我就再也不能玩游戏了。

今天，我们班组织了一场**摸底考试**。结果，我没考好。英语才得了 **58** 分。

铁头看完我的成绩单，差点儿笑抽筋。

米小圈，你怎么退步了？

马有失蹄，人有失足呀，老师……

"哈哈哈哈……想不到米小圈，你才得了 58 分。"

我不明白，铁头你有什么权利笑我，你才得了 42 分呀。

铁头说："多少分不重要，重要的是咱俩都**不及格**。我爸爸一直觉得你学习好，要我向你学习。可是这回你也没及格，我爸爸就不会怪我了。"

我老妈要是也这么想就好了。

我回到家，老妈看见成绩单，差点儿被气死。

我赶快告诉他，铁头也没及格，而且才得了 42 分。

老妈听后，**大发雷霆**，"米小圈，你居然和铁头一样不及格，你太不努力了。"

老爸赶快跑过来帮我："我觉得不能怪米小圈。不是他不努力，而是我们家里好玩的东西太多了。"

老爸，你这是在帮我，还是在害我呀？

老妈觉得老爸的话有道理，把电脑设了**密码**，电视也不许我看，就连我最喜欢的漫画书都从我的书架上拿下来了。

从今天开始，我回到家只能做三件事。第一件事是学习，第二件事是学习，第三件事还是学习。

我好悲惨呀。

二爷爷很同情我的**遭遇**，决定去跟老妈谈谈。

二爷爷对老妈说："我觉得这样学习，对米小圈没有好处，只会让他越来越害怕学习。"

老妈说："二叔，你是不知道啊，现在竞争多激烈，不好好学习怎么能考上好大学呢。"

"好好学习确实没错，但也要**奖励**米小圈一下。"二爷爷给老妈讲了一个他小时候的故事，"我小的时候，兄弟几个都要帮家里去山上砍柴，可是我们都很贪玩，跑

到山上就忘记了砍柴。后来，家里就想出一个办法，谁砍到**足够**多的柴，明天就可以休息一天，随便玩。结果我们兄弟几个一天的时间，就把家里一个星期烧的柴都砍了回来。"

老妈明白了："二叔，你的意思是说，给米小圈定一个目标？"

"没错。"

二爷爷回到我的房间，对我说："米小圈，我已经跟你妈妈**商量**好了。如果你每天按时完成作业，就奖励你看一本漫画书。"

"真的？"

"我还没说完呢，如果你每天能把英文单词背下来，我就陪你玩半个小时的**真人格斗**游戏。"

"太棒了。"

"还有更好的呢，如果你期末考试取得一个好成绩。假期就让你玩电脑，想玩多久就玩多久。"

"老妈也同意吗？"

"二爷爷亲自出马，你妈妈当然同意。"

"太好了，从今天开始我一定努力学习。"

圣诞老人

12 月 25 日　星期六

今天就是**圣诞节**啦，我最喜欢的节日之一。

二爷爷问："啥是圣诞节，我咋从来没听过呢？"

"呵呵，二爷爷，圣诞节就是外国人的春节。"

二爷爷又问："外国人今天也包饺子吗？"

"哈哈哈哈……二爷爷你可真逗。"我笑得肚皮都疼了，"圣诞节时，外国人会在家里摆一棵圣诞树，孩子们会在枕头旁边放上一只袜子，等候圣诞老人在他们入睡后把礼物放在袜子里。"

二爷爷说："我今天准备去给你买自行车，那得多大

的袜子呀。"

"哈哈哈哈……自行车放在袜子里，什么？咱们今天去买自行车？"

"是呀。正好作为**圣诞礼物**送给你。"

"可是我们才赚了 300 元呀。"

二爷爷说："没关系，剩下的钱爷爷来出。"

我说过一定要自己赚钱买自行车。所以我决定，买一辆普通的就可以了，不要外国进口的了。

我们来到一家卖国产自行车的商店。用 300 元买了

一辆国产儿童自行车。

虽然不如大牛的自行车好，但是这辆自行车上的每一个零件都是我和二爷爷**辛辛苦苦**赚来的。这才是我想要的自行车。

圣诞节，我终于有了一辆属于自己的自行车。可是我也想送给二爷爷点儿什么？这段时间，我每天节省下10元钱，现在已经有100元了，我偷偷给爷爷买了一件毛衣。虽然也不是特别好看，但我只有这么一点儿钱，算是我的心意吧。

圣诞节的晚上，我要求爷爷先**睡觉**，把袜子放在床边。我扮作圣诞老人，把礼物放进他的袜子里。

可是我发现，我真傻。袜子里放不进去自行车，难道就能放进去毛衣吗？

这时，我闻到了一股臭味。二爷爷啊，算你狠！你居然放了一双穿过的袜子。

我只好把毛衣盖在二爷爷的身上，第二天一早他就能够看见了。

新一年

1月1日 星期六

今天是 1 月 1 日，小圈节。

老爸不同意我的说法："今天怎么能是小圈节呢？明明是元旦嘛！"

二爷爷在一旁解释道："圆的蛋不就是个圈吗？所以叫小圈节。"

没错！还是二爷爷了解我，老爸可真笨啊。

小圈节到了，我们全家人决定不在家里吃饭了，今天要去饭店好好吃一顿。

可二爷爷却不太想去："出去吃，太**浪费**钱了。在家

里吃，既**经济实惠**，又干净，多好。"

二爷爷，我们都省吃俭用了好几个月了，就浪费一次吧。

老爸说："我有一个好主意，既可以出去吃，又不会浪费。"

二爷爷有点儿不懂："还有这样的好事？"

"当然有，我们今天去吃**自助餐**吧。"

我举双手赞成。

老爸说："我们要把花出去的饭钱全都吃回来，我们

的口号是——扶墙进扶墙出。"

二爷爷完全被老爸的话给**搞蒙**了。

我赶快解释："我老爸的意思是饿到快晕了，扶着墙去吃自助餐。"

二爷爷又问："那扶墙出呢？"

老爸说："就是吃饱了撑得走不动，必须扶着墙才能回家。"

二爷爷听完生气地拍着大腿："你们怎么不早说，这样我昨天晚上就可以不吃了。"

二爷爷，算你狠！

老妈赶快走过来批评老爸："你们这老老小小的，一天不吃饭，万一撑坏了还得去医院，反而花钱更多。"

老妈说得也有道理，经过大家商量决定，早餐还是要吃的，但午餐坚决要省下来。晚上去自助餐厅吃个痛快。

可是刚到下午，我的肚子就开始咕咕地叫了。怎么还没到晚上啊。

我发现时间是我的仇人，你越是希望时间走得快点儿，它反而变得越慢。

我等啊盼啊，过了好久好久，终于到了晚上。

我们全家人饿着肚皮向自助餐厅冲去。

我吃了七盒冰激凌，喝了五杯饮料，还吃了好多好吃的。我们度过了一个美好的元旦。

回到家，二爷爷对我们说，他有一件重要的事要向我们宣布。

难道二爷爷又要给我买礼物了？

"二爷爷，你快说。"

二爷爷说："我打算这两天就回老家了。"

"啊？二爷爷，你说什么？我不让你走。"

"米小圈，你听我说。我也舍不得你们，可是人岁数大了，**故土难离**。出来这么久，我也该回去了。"

我一下子哭了："二爷爷，我不让你走，米小圈舍不得你走。呜呜……"

老妈走过来，摸着我的头，安慰道："米小圈，你都这么大了，应该更懂事才行啊。你想一想，如果有一天，

有人带你去了一个**陌生**的地方，你再也见不到姜小牙和铁头了，你是不是也很难过。”

“是啊，如果我见不到他们，我一定难过死了。”

“所以啊，二爷爷在他的老家生活了一辈子，他也**想念**他的朋友们了。”

“难道说，他的朋友就比米小圈还重要吗？”

“不是哪个更重要，而是二爷爷已经习惯了家乡的生活。让他一直住在这里，他不会快乐的。”

“老妈，我明白了。可是我什么时候能再见到二爷爷呢？”

“有时间，咱们全家一起去你二爷爷的老家看看。说不定，比咱们城里更有意思呢？”

“真的？”我一下子又高兴起来。

“当然是真的。”

“太好了。”

　　我好像明白了。让二爷爷留下来，我会很开心，可是做人不可以这么**自私**。于是，我没有再阻止二爷爷。不过我决定，在二爷爷离开之前，为他洗一次脚，虽然他的脚和爸爸的一样臭。

米小圈的思念

1月4日 星期二

二爷爷就这样走了。

老妈说："'走了'这个词有点儿不吉利，很像是在说这个人不在人世了。"

于是我改为：二爷爷就这样离我而去了。

老妈再次批评了我："米小圈，越来越难听了。给我重写！"

可是老妈啊，我的词全用光了，该怎么写呢？

老妈拽过我的日记，在上面写道：

（二爷爷离开我们家已经好几天了，我好想念他。）

嗯，不错，老妈确实写得比我好。以后我就不写日记了，作文也不写了，都让老妈帮我写。

老妈**微微一笑**："呵呵，米小圈，休想！"

二爷爷走时，我俩偷偷约定，如果我能认真学习，取得好成绩，下次他来的时候，就把他的摔跤秘籍全都传授给我。

这样一来，铁头就不是我的对手了。

好！为了二爷爷，也为了打败铁头。我决定好好学习，再也不出去玩了。

可是这时，铁头和姜小牙却来了。

"米小圈，外面下雪了，我们去堆雪人吧。"

"不去！我要学习。"

"米小圈，我请你吃冰激凌怎么样？"

"这个主意不错，不过我要学习，你们买了冰激凌给我送来吧。"

"切！我们不理你了。"

老妈走了过来："米小圈，学习要劳逸结合。你可以出去玩一会儿，然后回来再好好学。"

老妈劝我出去玩，这可是头一回啊。但我不能违背和二爷爷的约定，所以我拒绝了老妈。

"不了，下周就考试了，我没时间玩了。"

老妈看到我的转变，嘴上没说，心里却高兴极了。

我的成绩单

1月14日 星期五

紧张的考试终于结束了,今天是我们班发成绩的日子。

我好**紧张**啊。万一我没有考好,二爷爷会不会很伤心呢?

对了,我和二爷爷的约定是,取得好成绩他就把摔

才17分?
米小圈,你
违约了。

二爷爷,你看!

跤秘籍传授给我。可是多少分才算好成绩呢?

　　如果说,比铁头考得好就算好成绩的话,那我年年都有好成绩。嘻嘻。

　　正在我思考多少分才算是好成绩时,魏老师突然喊到了我的名字。

　　"米小圈,你这次是怎么学的?"

　　完了!呜呜,难道我还没有铁头考得好吗。

　　魏老师突然**微笑**起来:"米小圈你的数学得了 100 分,语文 95 分,英语 98 分,排在全班第三名。"

　　"什么?老师您再说一遍?"

魏老师说："米小圈，你这次的进步非常大。是所有成绩差的同学的**好榜样**。"

呵呵呵呵，魏老师居然表扬我啦，不对呀！成绩差的同学的榜样？魏老师，你是说我以前的成绩一直很差吗？真是的！

魏老师问道："米小圈，你来说说，你这次是怎么学的？"

我才不会告诉魏老师，是因为摔跤秘籍的事呢。

于是我说道："呵呵，魏老师，我就是**随便**一学而已。"

魏老师又夸奖道："不错！同学们，学习就应该这样。该玩的时候好好玩，该学习的时候认认真真地学习。"

我发现，只要我取得了好成绩，说什么都是对的。还记得，二年级的时候，我也是这么说的。魏老师却把我狂批了一顿。

回到家，我把成绩单向老爸老妈面前一亮。他们高

兴得差点儿就跳了起来。

老妈说："米小圈，这个**假期**，电脑游戏你想怎么玩就怎么玩。"

老爸说："米小圈，这个假期，你想去哪玩我就带你去哪玩。"

不过我现在，并不想玩电脑，也不想出去旅游。我只想，只想和二爷爷在一起玩。

老妈说："这有什么难的，过几天我们带你去二爷爷家过年。"

"老妈，真的？"我**简直**不敢相信老妈说的话。二爷爷家好远的呀。

老爸说："再远我们都要去。谁让你考得这么好呢。"

太好了！二爷爷，我米小圈来啦。

偷师学艺的魔法

北猫叔叔

这一次，北猫叔叔要教大家一个偷东西的魔法。当然，我的意思是说偷师学艺！把别人的好文章，变成自己的文章。

这个魔法其实很简单，就是读书。

很多小朋友会说，读书叫什么魔法呀？我每天都在读书。

是啊，同学们，北猫叔叔相信你一定看过很多的书，但你是否能像这些作家一样，写出那么好的文章来呢？

绝大多数小朋友会说不能。这到底是为什么呢？是因为我们年龄小？还是因为我们认字少？再或者等我们长大了，经历的多了，自然就能写出好文章了？

其实是因为你还没有学过偷师学艺的魔法。

在学习这个魔法之前，北猫叔叔要问一问大家，你们是

否听过"读书百遍，其义自见"这句话。这句话的意思是说，书读了上百遍后，它的意思自然就会明白。

其实何止是明白，一本书你读了很多遍之后，你会发现，不光书中的意思你理解了，甚至有几句话你可以跟这位作家写得一样好。

北猫叔叔在第一次写小说的时候，书读了不少，但根本无从下笔。幸运的是，我遇见了一本自己喜欢的书。

我太喜欢这本书了，反复读了五遍，我惊喜地发现，我已经可以写出文章来了，虽然并不太好。当我反复读了十遍的时候，我已经掌握了这位作家的写作精髓，我也可以写出一定水平的作品了。当我反复读二十遍的时候，你们猜怎么样？我发现书被我读烂了。

当然，北猫叔叔并不赞成一本书你一口气读很多遍，这有可能导致你对它的厌烦，恨透了这本书也说不定。

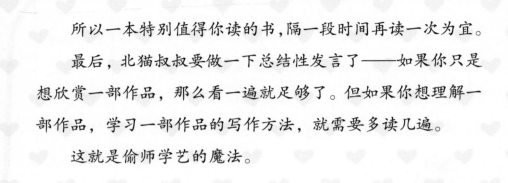

　　所以一本特别值得你读的书，隔一段时间再读一次为宜。

　　最后，北猫叔叔要做一下总结性发言了——如果你只是想欣赏一部作品，那么看一遍就足够了。但如果你想理解一部作品，学习一部作品的写作方法，就需要多读几遍。

　　这就是偷师学艺的魔法。

图书在版编目（CIP）数据

小顽皮和老顽童 / 北猫著；常耕绘. —成都：四川少
年儿童出版社，2018.1（2019.7 重印）
（米小圈上学记）
ISBN 978-7-5365-8778-6

Ⅰ．①小… Ⅱ．①北… ②常… Ⅲ．①儿童故事—作
品集—中国—当代 Ⅳ．①I287.5

中国版本图书馆 CIP 数据核字（2018）第 008722 号

出 版 人　常　青

策　　划　明　琴　黄　政
责任编辑　明　琴　黄　政
封面设计　米　央
插　　图　常　耕
书籍设计　李　煜
责任校对　党　毓
责任印制　王　春

XIAO WANPI HE LAO WANTONG

小顽皮和老顽童

书　　名　小顽皮和老顽童
作　　者　北猫
出　　版　四川少年儿童出版社
地　　址　成都市槐树街 2 号
网　　址　http://www.sccph.com.cn
网　　店　http://scsnetcbs.tmall.com
经　　销　新华书店
图文制作　喜唐平面设计工作室
印　　刷　成都勤德印务有限公司
成品尺寸　210mm × 180mm
开　　本　24
印　　张　6.5
字　　数　130 千
版　　次　2018 年 3 月第 2 版
印　　次　2019 年 7 月第 41 次印刷
书　　号　ISBN 978-7-5365-8778-6
定　　价　25.00 元

《小顽皮和老顽童》读后感

年级　　班　　姓名

年　月　日

小朋友们，想把发生在你身边的趣事告诉北猫叔叔吗？
快快拿起手机，给他发送微信吧！等你哟！

 到北猫叔叔

 "米小圈" 广播剧

 得米小圈定制文具

（抽）奖得北猫叔叔签名书

快来扫一扫吧！

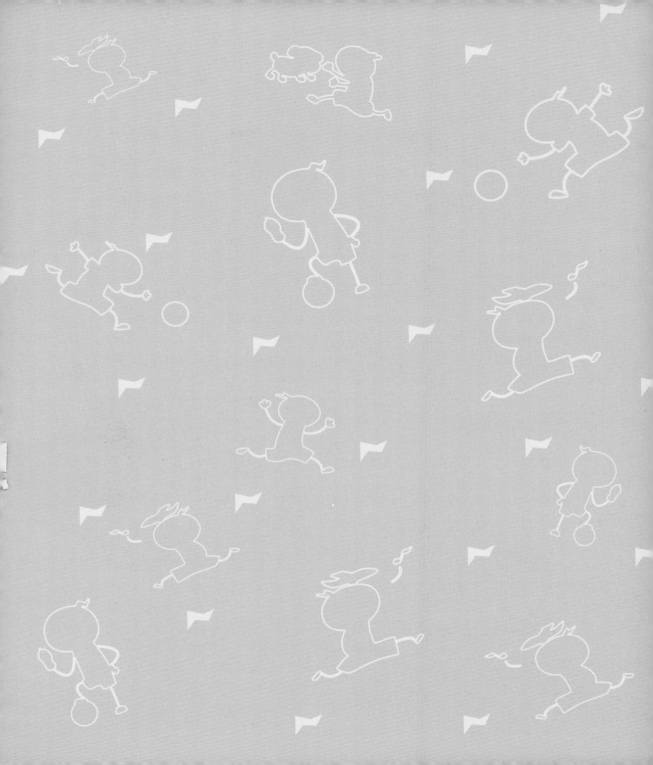